まちごとチャイナ
福建省 003

福州旧城
ガジュマル茂る「花の都」
［モノクロノートブック版］

JN121898

漢の劉邦によって閩越王と認められた無諸は、紀元前202年、この地方王朝の都を東冶(福州)においた。以来、福州は2000年を超える歴史をもち、東海から閩江を50km遡上した地点にある地の利から海上交易の拠点となってきた。

　亜熱帯性の気候をもつ街は緑豊かで、北宋(960〜1127年)時代に各所に植えられた榕樹から、「榕(城)」とも呼ばれる。また福州という名は、近くに位置した「福山」にちなむとも、福州の「福(fú)」は「仏(fó)」に通じるともされ、城内には仏教寺院がいくつも残る。

明代以降、泉州に替わる福建省屈指の港町に成長し、明清時代から省都として政治、経済、文化の中心になった。こうした性格は現在まで続き、福建省でも随一の都会である一方、福州の古い街並みを伝える三坊七巷や三山に立つ仏教寺院、道観なども見られる。

Asia City Guide Production
Fujian 003

Fuzhoujiucheng

福州旧城／fú zhōu jiù chéng／フウチョウジィウチャン

| まちごとチャイナ | 福建省 003 |

福州旧城

ガジュマル茂る「花の都」

「アジア城市（まち）案内」制作委員会
まちごとパブリッシング

Contents

に烏龍茶にとって替わられるまで福州の特産品だった。

福州旧城の構成

　漢代の紀元前202年、閩越王の無諸によって築かれた最初の福州（冶城）は、福州旧城北部の屏山南東の冶山にあり、ここが福州発祥の地とされる。晋代の282年、太守厳高は越王山（屏山）の南1.5kmに街を遷し、その後、湿地を埋め立てるように市街地は増え、五代十国から宋代にかけて城壁が拡大していった。現在の福州旧城は明代の1371年に完成したものを受け継ぎ、南方を流れる「閩江」、城内にそびえる「三山」、北西に位置する「西湖」という地形にあわせるように展開する。旧城は北側の「屏山」、南東側の「于山」、南西側の「烏山」を頂点とする変形三角をしていて、その中央を南北に八一七路が走る（以上が三山で、城壁は1919年に撤去された）。清代の福州旧城は、蘇州などの都市と同様、侯官県と閩県というふたつの県の県境にもなり、ふたつの県行政府がおかれていた。八一七路と東街が交わるあたりが福州旧城の中心で、近くには古い街並みの再現された三坊七巷が位置する。

20世紀初頭の福州

支那省別全誌第14巻福建省
掲載図をもとに作成

屏山

北門

井楼門　　湯門

城壁　　鼓楼　　　　　　　　　東門

西門　　東街口

福州旧城

安泰橋

水部門

于山

烏山　　南門

南公園
（近くに琉球館があった）

南台

万寿橋

閩江

粞栖

蒼家山
（煙台山）

N

『福州上下杭社区(福建省)の空間構成に関する考察 その1：社区構成と施設分布』(大日方覚・山田香波・趙冲・布野修司/学術講演梗概集) 掲載図を参考に作成

福州旧城の変遷

晋代の福州城壁
(晋代265〜420年)

唐代の福州城壁
(唐代618〜907年)

梁代の福州城壁
(梁代502〜557年)

宋代の福州城壁
(宋代960〜1279年)

福州旧城

福州
火车駅

斗門

屏山　　　樹兜

華林寺

屏山

西湖

福建省
博物館

開元寺

福州旧城
中部

閩王祠

東街口

五
一
北
路

楊橋東路

八
一
七
北
路

三坊
七巷

白馬北路

白塔寺

于山　　　水部

福馬2号線

南門兜

西禅寺

烏山

西洋

茶亭

琉球館

地
鉄
1
号
線

工業路

寧化

祥坂

達道

中亭街

金祥

岡工

N

0km　　　　　　　　　　　　3km

万寿橋

氾船浦
天主教堂

福州旧城
中心部

屏山
華林寺
屏山
中山
紀念堂
西湖
湖濱路
旧城北部
地鉄1号線
湖東路
樹兜
福州駅へ
五四路
開元寺
閩王祠
東街口
東街
楊橋東路
三坊
七巷
八一七北路
白馬北路
八一七路
五一北路
林則徐
紀念館
文廟
烏塔
白塔寺
南門兜
于山
于山
烏山
五一
広場
福建
大劇院

0km
2km
N

★★★
于山／于山 ユゥシャン
三坊七巷／三坊七巷 サンファンチイシィアン

★★☆
白塔寺／白塔寺 バイタアスゥ
烏山(烏石山)／乌山 ウゥシャン
林則徐紀念館／林則徐纪念馆 リィンチェエスゥジイニィエングゥアン
東街口／东街口 ドォンジエコウ
閩王祠／闽王祠 ミィンワァンツゥ
福州開元寺／福州开元寺 フゥチョウカァイユゥエンスゥ
福建省博物館／福建省博物馆 フゥジィエンシェンボオウウグゥアン
西禅寺／西禅寺 シイシャンスゥ

★☆☆
五一広場／五一广场 ウウイイグゥアンチャアン
福建大劇院／福建大剧院 フゥジィエンダアジゥュゥエン
八一七路／八一七路 バアイイチイルゥ
福州文廟／福州文庙 フゥチョウウェンミャオ
東街／东街 ドォンジエ
福州中山紀念堂／福州中山纪念堂 フゥチョウチョンシャンジイニィエンタァン
華林寺／华林寺 フゥアリィンスゥ
屏山／屏山 ビィンシャン
西湖／西湖シイフゥ

亜熱帯の植生が見られるその名も榕城

あっさりとした味つけの福州料理

于山に立つ白塔は街のシンボル

古い街並みが整備された三坊七巷

Yu Shan

于山鑑賞案内

仙人にまつわる話が伝えられる于山
福州のシンボルでもある白塔寺
街歩きの起点となる五一広場が位置する

于山／于山★★★

yú shān
うさん／ユウシャン

　福州旧城にそびえる三山のひとつで、仏塔、道観などの景
勝地が集まる于山(高さ58.6m)。戦国時代(〜紀元前221年)、漢族
とは異なる百越の于越氏がこの地に住んでいたという話か
ら、于山という名称がつけられた。また福州の街を開いた閩
越王無諸が重陽節の9月9日にこの山にのぼって宴を開いた
「九日山」とも、9人の兄弟がここで仙人になったという言い
伝えから「九仙山」とも、宋代の状元陳誠の読書場所であっ
たことから「状元峰」とも呼ばれる。巨大な海亀のようなか
たちをした山で「攬鰲亭」「倚鰲軒」「歩鰲坡」「応鰲石」「接鰲
門」「聳鰲峰」といった海亀(鰲)にまつわる景勝地も残る。こ
の于山にそびえる白塔は福州のシンボルとなっている。

九仙観／九仙观★☆☆

jiǔ xiān guān
きゅうせんかん／ジィウシィアングゥアン

　福州を代表する道教寺院の九仙観。漢代、何氏の9人兄弟
がこの地で暮らし、不老長生の金丹(薬)をねって仙人になる
修行をしたという(于山の洞窟で暮らして草をとって、湧き水をくん
で生活した)。北宋の1103年、天寧万寿観が建立され、その後、

九仙観となったという経緯があり、山の中腹には9人兄弟が
金丹(薬)をねった錬丹井が残る。

大士殿／大士殿★☆☆
dà shì diàn
たいしでん／ダアシイディエン

　大士殿は于山の山頂に立ち、北宋の1103年にされた創建
の玉皇閣をはじまりとする。清代の1713年に再建されて第
4代康熙帝の長寿が祝われ、その後の第6代乾隆帝時代に万
寿亭と呼ばれた。大士殿という名前は、乾隆帝の「御題大士
出山図」の碑刻からとられたもので、1937年に名づけられ
た。福州市街をのぞむ高台にあることから、1911年の辛亥
革命にあたって革命軍の拠点がおかれ、ここからの発泡を
合図とし、革命軍は清朝への攻撃を開始したという。

白塔寺／白塔寺★★☆
bái tǎ sì
はくとうじ／バイタアスウ

　于山の西側に立ち、前年に創建された白塔に続いて唐代
の905年に創建された白塔寺(定光寺)。唐に替わった五代十
国後梁の朱全忠(在位907〜912年)が即位すると、万歳寺と改称
された。この白塔寺の中心に法雨堂と呼ばれる伽藍があり、

***
于山／于山 ユウシャン
★★☆
白塔寺／白塔寺 バイタアスウ
白塔 (定光塔) ／白塔 バイタア
★☆☆
九仙観／九仙观 ジィウシィアングゥアン
大士殿／大士殿 ダアシイディエン
戚公祠／戚公祠 チイゴォンツウ
五一広場／五一广场 ウウイイグゥアンチャアン
福建大劇院／福建大剧院 フウジィエンダアジゥウゥエン
八一七路／八一七路 バアイイチイルウ

白色のたたずまいを見せる八角七層の白塔

915年、仏僧義収がその身を火に投じて雨乞いをしたと伝えられる。現在の白塔寺は清代に再建されたもので、清末の1866年からここで外国語教育が行なわれるなど、近代化の舞台にもなり、福州船政学堂学者となった厳復や日清戦争で戦死した鄧世昌が白塔寺で学んだ。

白塔 (定光塔)／白塔★★☆
bái tǎ
はくとう(じょうこうとう)／バイタア

白塔寺の背後にそびえ、高さ41m、八角七層の白のたたずまいを見せる白塔。正式名称を定光多宝塔と言い、塔の基壇を築くときに宝珠が発見され、定光塔と命名されたことに由来する。唐代の904年に創建されたのちは万歳寺の一部だったが、明代の1534年に落雷で消失し、1548年に再建された(塔の石積みが唐代のもので、塔内部は木造)。西側の烏山に立つ烏塔とともに、双塔として福州のシンボルとなっている。

戚公祠／戚公祠★☆☆
qī gōng cí
せきこうし／チイゴォンツウ

明代、福建省沿岸部で跳梁する倭寇討伐にあたった戚継光(〜1587年)をまつる戚公祠。戚継光は1562年に福州に派遣され、寧徳、福清、莆田などで倭寇(海賊)を破ったが、この戦いの主要舞台となったのが台湾海峡に近い閩江口だった。戚継光が福州を離れるのを惜しんだ人びとは、戚継光を記念して石碑を立て、やがて戚公祠のかたちになった。戦勝祝宴のあと、酔いのまわった戚継光がベッド代わりにして眠ったという「酔石」も残る。現在の建物は1918年に建てられた。

唐代以来の古刹の白塔寺、福州は仏教信仰の盛んな街だった

明代に倭寇討伐で成果をあげた戚継光

右手をかかげる毛沢東像

五一広場に隣接して立つ福建大劇院

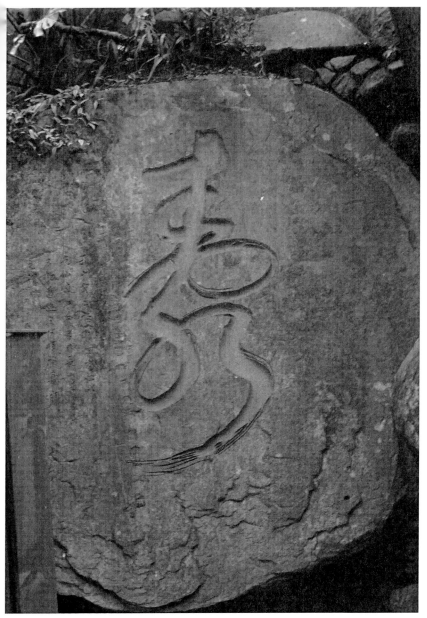

名勝奇石の集まる于山

于山摩崖石刻／于山摩崖石刻★☆☆
yú shān mó yá shí kè
うさんまがいせっこく／ユウシャンモオヤアシイカア

　福州于山の各所に残る100あまりの摩崖石刻。宋代から1000年に渡って刻まれてきたもので、篆書や隷書など多様な書体が見られる。

五一広場／五一广场★☆☆
wǔ yī guǎng chǎng
ごいちひろば／ウウイイグゥアンチァアン

　于山南麓、福州市街の中心に位置する五一広場。「メーデー（労働者の日、労働節）」の5月1日からとられた広場で、1949年の中華人民共和国建国後に湿地帯を整備して現在の姿になった。周囲には大型ホテルやショッピング・モールが立ち、五一広場商圏を構成する。五一広場に隣接する「于山堂」の前には毛沢東像が見え、早朝、この広場で国旗掲揚式が行なわれる。

福建大劇院／福建大剧院★☆☆
fú jiàn dà jù yuàn
ふっけんだいげきいん／フウジィエンダアジゥユウエン

　五一広場の南側に隣接して立つ福建大劇院。メインホール、音楽ホール、数碼影視城からなり、「閩劇」などの歌劇、「福州平話」という曲芸のほか、クラシックコンサートも開かれる（閩劇は福州語で演じられ、明清時代を通じて形成された）。この建築は、福建省山間部の客家土楼（円形民居）をもとにした建築となっている。

烏山鑑賞案内

「烏」とは「黒」を意味する
東の白塔に対して西の黒（烏）塔がそびえ
頂上からは福州の街並みが広がる

烏山（烏石山）／乌山★★☆
wū shān
うさん（うせきさん）／ウウシャン

　福州旧城の三山のひとつで、東の于山と対峙するように
そびえる標高86.2mの烏山（烏石山）。漢代の9月9日、福州で
仙人となった何氏の9兄弟が、この山で「烏」を採ったという
伝説から、烏山と名づけられた。唐（618〜907年）代から景勝地
として知られ、玄宗に「闽山（福建の山）」という名を下賜され
たり、道教の「蓬莱の仙境」を思わせる景観から、福州知事の
程師孟が「道山」と呼んだ。また烏山は風水上、重要な山とさ
れ、1850年、西欧人の建てたキリスト教会が風水を乱した
という理由で、1878年、地元の人びとに火を放たれたとい
う経緯もある。

陽数の重なる重陽節

　10番目で桁の増える十進法では「9」は陽数の極で、中国
人はそれが重なる9月9日を「重陽」と呼んで重視してきた。
漢代以降、この日に「茱萸（カワハジカミ）」を身につけ、小高い
丘に登って菊の花弁を浮かべた酒を飲むならわしができ、
こうした重陽節の行事は今でも続いている。

烏山拡大

大士殿
呂祖宮
弥陀寺
天章台
武聖廟
鼓楼区
博物館
先薯亭
烏山

烏山

三坊七巷
八一七北路
五一北路
清真寺
林則徐
紀念館
文廟
烏塔
白塔寺
于山
両門兜
古田路
地鉄2号線
呂祖宮
地鉄1号線
烏山拡大
五一
広場
烏山路
福建
大劇院

0km
1km

N

烏山摩崖題刻／乌山摩崖题刻 ★☆☆

wū shān mó yá tí kè
うさんまがいだいこく／ウウシャンモオヤアティイカア

　烏石山とも呼ばれる烏山には、いくつもの奇石が点在し、あわせて200あまりの石刻が残る。唐代書家の李陽冰が772年に記した篆書『般若台記』はじめ、宋代の程師孟、陳襄、朱熹、梁克家といった書家による石刻が見られる。なかにはモンゴル語の石刻もあり、これらは烏山摩崖題刻と呼ばれている。

烏塔（崇妙保経堅牢塔）／乌塔 ★★☆

wū tǎ
うとう（すうみょうほけいけんろうとう）／ウウタア

　烏山東麓に立つ高さ35m、八角七層の烏塔のそびえる姿は、白塔とともに福州を代表する景観にあげられる。この烏塔は、唐代、徳宗（742〜805年）のために福建観察使が建てた浄光塔に由来する。唐末に農民の反乱で破壊されたが、五代十国時代の941年、閩国の王審知の子王延曦によって一族の繁栄を願って再建された。当初は九層で計画されていたが、王延曦が臣下に殺されたことで七層になった。福州ではかつ

烏塔はもうひとつの福州旧城のシンボル

亜熱帯で育つガジュマル

柱や梁は中国人の嗜好にあう赤で彩られている

て7つの塔が立っていて、この烏塔と白塔が現存する。正式名称を「崇妙保経堅牢塔」と言う。

呂祖宮／呂祖宮★☆☆
lǚ zǔ gōng
ろそきゅう／リィウチュウゴォン

道教の神さま(八仙のひとり)の呂洞賓をまつる呂祖宮。清代の1881年に建てられ、前殿から正殿へと伽藍が続く。周囲には武聖廟も位置する。

先薯亭／先薯亭★☆☆
xiān shǔ tíng
せんしょてい／シィアンシュウティン

サツマイモを育てることで飢饉を乗り越えた福建巡撫の金学曽をまつる先薯亭。サツマイモは1570年ごろフィリピン華僑の陳振龍がルソンから福建にもちかえり、栽培していた。1594年の飢饉で食糧不足になったとき、金学曽はその効用をといて、サツマイモをつくらせて人びとを救った。そのため、人びとは「朱藷(サツマイモ)は金藷なり」とたたえてこの亭をつくったという。

福州三山のうち旧城南西に位置する烏山

Ba Yi Qi Lu
八一七路城市案内

八一七路は福州旧城を南北につらぬく大動脈
福州文廟や福州清真寺がそばに立ち
この街の中心とも言えるにぎわいを見せる

八一七路／八一七路★☆☆
bā yī qī lù
はちいちななろ／バアイイチイルウ

　福州旧城を南北に走る繁華街の八一七路。この通りは、901年、王審知が羅城を増築したときに、南門から閩江方面へ伸びる道路として整備され、通りにそって水路が走り、ガジュマル(榕樹)が植えられた。以来、1000年以上、福州でもっともにぎわう商業地区となり、かつては南大街(南街)と呼ばれていた。現在は東街口、三坊七巷とともに東街口商圏を構成し、飲食、食料、衣料、雑貨など、各種店舗が集まっている。

林則徐紀念館／林则徐纪念馆★★☆
lín zé xú jì niàn guǎn
りんそくじょきねんかん／リィンチェスウジイニィエングゥアン

　アヘン密輸を行なう西欧に対して、敢然と立ち向かった官僚の林則徐(1785~1850年)ゆかりの品や資料が展示された林則徐紀念館。福州出身の林則徐は、皇帝からの命を受け、欽差大臣としてアヘン(麻薬)のとり締まりのために広東へ派遣された。イギリスのアヘン商人からアヘンを没収するなど、林則徐の施策は成果をあげたが、イギリスの圧力で林則徐は職務からはずされ、イリへ左遷された。晩年の林則徐は太平天国(1851~64年)の鎮圧のため、福州から潮州におも

八一七路

鼓楼遺址

聚春園

東街

東街口

花巷基督教堂

楊橋東路

東街口

南后街

八一七路

三坊七巷

津泰路

朱紫坊

安泰楼

清真寺

林則徐紀念館

文廟

于山

白塔寺

八旗会館

烏塔

地鉄2号線

南門兜

白馬北路

五一広場

烏山

地鉄1号線

烏山路

西洋

茶亭

0km   1km

むいたが、そこでなくなった。この林則徐祠堂は、1905年、林則徐の子孫によって建てられ、1982年に林則徐記念館として開館した。福建地方特有の園林建築様式をもち、官服をきた林則徐の坐像はじめ、林則徐の書簡、碑刻、虎門にそなえられた大砲が安置されている。

林則徐と福建人気質

19世紀、イギリスは中国特産の茶の輸入(購入)で出た赤字を、中毒性のある麻薬アヘンの密輸をあてることで埋めようとした。中国にアヘン中毒が蔓延するなかで、西欧商人のアヘン密輸をとり締まる目的で、林則徐が欽差大臣(皇帝の命を受けた臨時の官職)に任命された。アヘンの取引構造を調査し、西欧の法律を学んだ林則徐は、毅然とした態度でイギリスのアヘン商人にのぞんだ。商人から2万箱にのぼるアヘンの在庫を没収し、東莞虎門で塩水と焼いた石灰を混ぜて焼却した。林則徐は「今後、アヘンを中国にもちこまない」と

★★★
三坊七巷／三坊七巷 サンファンチイシィアン
于山／于山 ユウシャン
★★☆
林則徐記念館／林則徐纪念馆 リィンチェエスウジイニィエングゥアン
東街口／东街口 ドンジエコウ
白塔寺／白塔寺 バイタアスウ
烏山(烏石山)／乌山 ウウシャン
烏塔(崇妙保経堅牢塔)／乌塔 ウウタア
★☆☆
八一七路／八一七路 バアイイチイルウ
八旗会館／八旗会馆 バアチイフゥイグゥアン
福州文廟／福州文庙 フウチョウウェンミャオ
福州清真寺／福州清真寺 フウチョウチンチェンスウ
安泰楼／安泰楼 アンタァイロウ
朱紫坊／朱紫坊 チュウツウファン
聚春園／聚春园 ジウチュンユゥエン
東街／东街 ドンジエ
花巷基督教堂／花巷基督教堂 フゥアシィアンジイドゥジャオタァン
鼓楼遺址／鼓楼遗址 グウロウイイチイ
五一広場／五一广场 ウウイイグゥアンチャアン

いった誓約書を提出させたが、その強硬姿勢はイギリスの反感を買い、イギリスと清朝のアヘン戦争（1840〜42年）へ突入した。林則徐はアヘン戦争のなかで罷免され、やがて福州をふくむ中国沿岸部の港町は開港することになった。現在では、林則徐は不正に敢然と立ち向かった民族的英雄と見られ、筋の通った人柄も福建人の特徴としてあげられる。林則徐に代表されるこうした福建人の気骨は、都北京から離れた風土で育まれたとも指摘される。

八旗会館／八旗会馆★☆☆
bā qí huì guǎn
はっきかいかん／バアチイフゥイグゥアン

　烏山の北側に残る八旗会館は、満州人を中心とする清朝の組織「八旗」に由来する（8つの旗のもとに組織された社会、軍事上の制度で、北京から派遣され、駐屯した）。この八旗会館の建物は、明代の「官家花園（中使園）」のあとで、石づくりの一本柱、天井や壁の装飾などが美しい木造2階建てとなっている。

福州文廟／福州文庙★☆☆
fú zhōu wén miào
ふくしゅうぶんびょう／フウチョウウェンミャオ

　学問の神さま孔子がまつられた福州文廟（伝統的な中国の街では必ず文廟と武廟がおかれた）。唐代の773年に建学宮として創建され、その後、王審知のおいた四門学、宋代の孔廟というようにかたちを変えていった。福州文廟は清代の1851年に再建されたものを受け継ぎ、紅の周壁を左右にもつ欞星門からなかに入ると中庭が広がる。この中庭の奥に大成殿が立ち、周囲の回廊には72人の儒学者がまつられている。2006年に現在の姿となった。

福州が生んだ気骨ある官吏の林則徐の紀念館

アヘン戦争前後の展示が見られる

緑はイスラム教を意味する、福州清真寺の外観

春巻きなどの小吃がならぶ

安泰楼は三坊七巷近くに位置する福州料理の老舗

孔子のまつられた福州文廟

福州清真寺／福州清真寺★☆☆
fú zhōu qīng zhēn sì
ふくしゅうせいしんじ／フウチョウチンチェンスウ

　　福州のイスラム教徒が礼拝に訪れる福州清真寺。唐代の628年に創建され、その後の五代十国時代には閩王王継鵬の大平宮がおかれていた(唐宋時代から、海上交易の担い手でもあったアラブ人やペルシャ人が漢族と混血してイスラム教徒の回族が形成された)。その後の元(1260〜1368年)代では支配者層のモンゴル人がイスラム教徒を漢族統治のために重用したこともあり、福州清真寺(モスク)となった。明代の1541年に焼失したのち、1549年に中国建築様式で再建された。メッカの方角へ祈るための正方形の礼拝堂をそなえるほか、現在はイスラム教を意味する緑のドームやペルシャ・アラブ風の外観をもつ。

安泰楼／安泰楼★☆☆
ān tài lóu
あんたいろう／アンタイロウ

　　清朝末期に創業した福州料理の老舗の安泰楼。三坊七巷近くに位置し、このあたりは唐宋時代から福州でもっともにぎわう場所だった。店名は福州旧城を走る安泰河にかかる安泰橋からとられ、「太平燕(アヒルの卵が入ったスープ)」「魚丸」「煎包」「焼き包子」「春巻き」といった点心(小吃)や宴会料理を出す。

朱紫坊／朱紫坊★☆☆
zhū zǐ fāng
しゅしぼう／チュウツウファン

　　三坊七巷とともに古い街並みが残る朱紫坊。安泰河(護城河)の南側を水路にそうように走り、川沿いにはガジュマル(榕樹)がしげる。この水路は閩国(909〜945年)時代から使われたもので、20世紀なかごろまで主要な水上交通網だった(に

の地はちょうど唐代羅城の南門外にあたり、そこから南へ続く安泰橋がかかっていた）。明清時代は官吏が朱紫坊に多く暮らしたと言われ、また店舗がならんでいた。大暦と呼ばれる中庭をもつこの地方の邸宅が見られるほか、広河橋、津門橋などの古い橋が残っている。

San Fang Qi Xiang

三坊七巷城市案内

**三坊七巷は福州旧城の面影を伝える古い街並み
黒の屋根瓦、白の漆喰壁、木の窓枠などをもつ
古民居が細い路地にそって立つ**

三坊七巷／三坊七巷★★★

sān fāng qī xiàng
さんぼうしちこう／サンファンチイシィアン

　福州旧城中心部に位置する、古い街並みの三坊七巷。南北に走る南后街を中心に、「衣錦坊」「文儒坊」「光禄坊」の3つの坊と、「楊橋巷」「郎官巷」「塔巷」「黄巷」「安民巷」「宮巷」「吉庇巷」の7つの巷からなる。このあたりは唐末から街区が形成され、長いあいだ福州でもっともにぎわう繁華街だった。清代には官僚や文人が多く暮らし、たとえば儒学者を輩出した通りは「文儒坊」と名づけられている。2005年、明清時代を思わせる現在の街並みが再現され、古民家、茶屋、漆器、木彫などの工芸品店がずらりとならぶ。その華やかな様子から「花灯一条街」とも、200を超える古民家が集まることから、「中国明清古建築博物館」とも呼ばれる。

三坊七巷の代表的民居

　三坊七巷の中心の大通りが南后街で、南北を走る南后街から西に三坊、東に七巷の路地が走る。明代郷紳の邸宅で、湖上の戯台をもつ「水榭戯台（衣錦坊）」、見事な木彫り細工が見られる「欧陽花庁（衣錦坊）」、陳承裘本人と夭折したひとりをのぞいて6人の子どもが科挙に合格した「陳承裘旧居（文儒

三坊七巷

鼓樓遺址

鼓西路

N

元帥廟 ● 元帥路

聚春園 ●

楊橋巷

東街口

東街

楊橋東路

嚴復
旧居

花巷基督
教堂

冰心
旧居

郎官巷

二梅
書斎

塔巷

地鐵1号線

水榭
戲台

小黄楼

黄巷

衣錦坊

欧陽
花庁

南后街

三坊七巷

安民巷

八一七北路

沈葆楨
旧居

林聡彝
旧居

文儒坊

宮巷

陳承裘
旧居

安泰楼

吉庇巷

光禄坊

清真寺

林則徐
紀念館

0m   500m

烏塔

坊)」、清末の革命家である林覚民と冰心の暮らした「冰心旧居(楊橋巷)」、庭に2本の梅が植えられ、天后宮の隣接する「二梅書屋(郎官巷)」、福州船政学堂で航海術を学び、アダム・スミスの『国富論』、ミルの『自由論』、モンテスキューの『法の精神』などを翻訳した思想家・翻訳家の厳復が暮らした「厳復旧居(郎官巷)」、唐代官吏の黄璞が暮らし、手の込んだ庭園をもつ「小黄楼(黄巷)」、路地から建物奥に四合院が連なるこの地方の典型的な様式をもつ「潘葆禎旧居(宮巷)」、明滅亡後の南明の役所がおかれていた「林聡彝旧居(宮巷)」が代表的な民居となっている。

三坊七巷の「大厝」

　石畳の路地と、木材とレンガを使った邸宅、白の漆喰壁、黒の屋根瓦など、この地方特有の街並みが見られる三坊七巷。福州の代表的民居は横三間、五間、七間からなり、中庭の四方に建物を配した四合院が二進、三進と奥に向かって続く(四合院がふたつ続くことを二進、3つ続くことを三進と呼ぶ)。福建省では建築材料に木材を多く使うのが特徴で、火よけと家の格式を示す「風火墻(うだつ)」が屋根に見られる。また北京の四合院が平屋なのに対して、福州では柱と梁を活かした

★★★
三坊七巷／三坊七巷 サンファンチイシィアン
★★☆
東街口／东街口 ドンジエコウ
林則徐紀念館／林则徐纪念馆 リィンチェエスウジイニィエングゥアン
烏塔(崇妙保経堅牢塔)／乌塔 ウウタア
★☆☆
元帥廟／元帅庙 ユュエンシュアイミャオ
聚春園／聚春园 ジウチュンユゥエン
東街／东街 ドンジエ
花巷基督教堂／花巷基督教堂 フゥアシィアンジイドゥジャオタァン
八一七路／八一七路 バアイチイルゥ
福州清真寺／福州清真寺 フウチョウチンチェンスウ
安泰楼／安泰楼 アンタァイロウ
鼓楼遺址／鼓楼遗址 グウロウイイチイ

木材を利用して建てられた建物に店舗が入る

白の漆喰壁が続く、三坊七巷で見られる建築様式を大厝と呼ぶ

高温多湿の環境にあわせて開放的なつくりとなっている

うだつに見られる装飾、その家の格式を示した

2階建てが多く、これら福州の伝統的民居は「大厝」や「柴欄厝」と呼ばれる。中国の儒教的価値観から、女性は奥の部屋で暮らして、外界との接触はできるだけたつという慣習があった。

福州工芸の数々

　元代、福州を訪れたマルコ・ポーロ（1254〜1324年）は「この都市には多数の商人・工匠がおり、盛大な取り引きが営まれている」「フージュー市に将来された商品は、同じ河に由る水路かもしくは陸路によって、再び各地に運搬される」と記している。豊富な木材が集散されることもあって、福州は伝統工芸が盛んなことでも知られてきた。漆を何度も重ねて塗る、芯材をもたない「脱胎漆器」、また降雨量の多いこの地方で親しまれてきた「油紙傘（唐傘）」、牛の角でつくった女性のための「牛角梳」が福州を代表する工芸品で、三坊七巷でも目に入る。なかでも粘土の型のうえに何度も何度も漆を重ねて塗り、完成したあとに型をとりはずす脱胎漆器は、清代の乾隆帝（在位1735〜95年）時代に漆器職人の沈紹安が生み出したもので、揚州漆器、北京漆器とならんで中国三大漆器に数えられる。木製のものが摩耗するのに対して、漆はその輝きが長く続くことが特徴で、脱胎漆器は紅茶やコーヒーといった喫茶道具、花瓶のかたちで、港町福州から西欧にも輸出された。

文人と福州

　福建は唐代まで未開の地であったが、閩国を樹立した王審知（862〜925年）以後、開発が進み、とくに南中国が北中国に勝る繁栄を見せていく宋代以降は、文化中心地のひとつとなった（宋代、出版文化の中心地となって、科挙の合格者を輩出し、朱熹の墨跡も福州のいたるところに残る）。明末の政治派閥の東林党人が

多く三坊七巷に暮らしたほか、1853年に福州南台倉霞洲に生まれ、1921年に福州郎官巷(三坊七巷)でなくなった清末の思想家厳復も福州ゆかりの人物として知られる。またイギリスによるアヘン密輸のとり締まりにあたった官吏の林則徐(1785～1850年)は晩年、生まれ故郷の福州に戻って読書や著作に勤しみ、代表的福州人のひとりにあげられる。

福州と茶

　福建茶が中国全土に知られるようになるのは宋(960～1279年)代になってからのことで、とくに福州から閩江をさかのぼった武夷山の茶は最高品質とされた。古くから親しまれていた非発酵の「緑茶」、福建省で宋代あたりから知られたという発酵の「紅茶」、明代に福建で考えられ、1855年ごろから製茶がはじまった半発酵の「烏龍茶」など、茶どころの福建省ではさまざまな茶が飲まれてきた。17世紀、東インド会社によってヨーロッパにもたらされた中国茶のなかでも、西欧人の嗜好にあったのは紅茶で、この「ブラックティー（紅茶）」をめぐってアヘン戦争(1840～42年)が起こり、福州は開港された(福建の農民は食料生産をやめて、より収入になる茶の栽培に転じるといったことも見られた)。こうした茶のなかで閩北の武夷山系(武夷岩茶など)、閩南の安渓系(鉄観音など)など、福州では半発酵の烏龍茶がとくに親しまれている。

元帥廟／元帅庙★☆☆
yuán shuài miào
げんすいびょう／ユウエンシュアイミャオ

　楊橋東路から北側に走る路地の元帥路に残る元帥廟。元代、三坊七巷に建てられた元壇祠をはじまりとする道教寺院で、清初に元帥廟となった。戯曲と音楽の神さまである田公元帥がまつられ、戯台が見られるなど、古い時代の建築様式をもつ。

三坊七巷におかれている銅像

ネオンに照らされた夜の東街口、1000年以上福州の中心

東街では騎楼と呼ばれるアーケードが見られる

魚肉のすり身をねった魚丸が美味

東街口城市案内

**三坊七巷に隣接する繁華街の東街口
南の安泰橋あたりからこのあたりは
福州の繁栄とともに歩んできた**

東街口／东街口★★☆

dōng jiē kǒu
とうがいこう／ドォンジエコウ

　東街口は福州旧城最大の繁華街で、あたりの三坊七巷や八一七路、東街、楊橋東路とともに東街口商圏を形成する。ちょうど東西に走る東街と、南北に走る八一七路が交わる交差点が「東街口」で、福州に晋代の子城があった時代から、福州旧城の中心地として1500年以上続くにぎわいを見せているという。周囲には東百商城などの大型店舗や、聚春園、太和堂茶荘といった由緒正しい店舗がならび、人びとが行き交う。

聚春園／聚春园★☆☆

jù chūn yuán
じゅしゅんえん／ジウチュンユゥエン

　清朝同治帝の1865年に創業した福建省を代表する老舗の聚春園。ナマコ、アワビ、干し貝柱など20種類以上の最高の食材と鳥の出汁を使った料理「佛跳墙(フォオチャオチィアン)」発祥の店として知られる。この佛跳墙は、1876年に福州の役人が福建布政司の周蓮をまねき、鳥肉やアヒル肉、海産物を紹興酒で煮込んだ「福寿全」をふるまったことに由来する(妻の出身地紹興の料理)。これを気に入った周蓮は料理人の

鄭春発に自宅でも食べられるように命じ、鄭春発は海産物を多く使うなどして料理を再現した。そして、この鄭春発が開いたのが聚春園のはじまりとなった。「仏跳牆」という名前は、「福寿全」と音の似ているからとも、香りの素晴らしさで「仏僧が牆(牆)を飛び越えてくること」から名づけられたともいう。

東街／东街★☆☆
dōng jiē
とうがい／ドォンジエ

八一七路と接する東街口を起点に東に伸びる東街。福州を代表するファッション・ストリートで、衣料品の店舗がずらりとならぶ。この東街では榕樹が見られるほか、1階がアーケード状の騎楼(福建省、広東省で見られる)様式をもつ。

花巷基督教堂／花巷基督教堂★☆☆
huā xiàng jī dū jiào táng
かこうきりすときょうどう／フゥアシィアンジイドゥジャオタァン

福州中心部を走る八一七路の東側に立つキリスト教の花巷基督教堂。福州でもっとも由緒正しいキリスト教会で、アヘン戦争(1840〜42年)以前からこの地に布教拠点があり、「花巷堂」「尚友堂」といった名前で呼ばれていた。1915年、清朝官吏の王府を利用した教会となり、その後の1938年に花崗岩の姿となった。尖塔のうえには十字架がかかげられている。

石井巷／石井巷 ★☆☆

shí jǐng xiàng

せきせいこう／シイジンシィアン

　福州の繁華街東街口そばを走る石井巷。全長150m、幅4mのこぢんまりとした路地で昔ながら面影を残す。通りの名前は宋代の蘇舜元(「有蘇公井一」)の井戸に由来する。

Bintou Fukusyu
閩東福州の料理言葉信仰

閩江のほとりで育まれた福州の文化
独特の言葉や海を渡った人びとなど
地形上の制約が大きな影響をあたえてきた

福州料理

　福建料理(閩菜)のうち、省北部の福州で食べられている福州料理を「福州菜」もしくは「榕城菜」と呼ぶ。この地方で陸揚げされる海の幸、山の幸を素材とし、あっさりとした淡白な味つけが特徴。鶏肉や海鮮、フカヒレを紹興酒の瓶に煮込んだ「仏跳牆」、豚肉を使った伝統料理の「荔枝肉」、アヒルの卵が入ったスープ「太平燕」などが福州の代表料理となっている。福州語では「長麺」と「長命」が同じ音であるため、南宋時代から春節に「線麺」を食べて長寿を願う習慣があるという。また福州から閩江をさかのぼった沙県ゆかりの「沙県小吃」も食され、「沙県小吃」は中国全土に広がった。ほかには、福州人が華僑として海を渡ったニューヨークや東南アジア各地でも福州料理が食べられる。

海を渡った福州華僑

　山がちで農作地にとぼしく、海に面した地形をもつ福建省は、宋(960~1279年)代ごろから多くの華僑を生んできた。福建華僑は、福州を中心とする閩北系、泉州や厦門の閩南系、山間丘陵部の客家系に大きくわかれる。福州で話される福州語を母語とする地縁集団を「福州幇」と呼ぶ(福建語とも

福州料理は福州人が進出した先でも食される

人びとの足となる路線バス

福州東郊外の鼓山に立つ湧泉寺には空海も訪れた

かつて仏国とたたえられた福州

言われる閩南語とは互いに通じないほど異なる)。閩南よりも規模は小さいものの、閩侯、長楽、福清など福建北東部の10県の出身者で構成されることから、「福州十邑」、また福州の三山をとって「三山幇」ともいう。東南アジア各地に福州チャイナタウンがあるほか、ニューヨークのチャイナタウンは「リトル福州」を形成している。福州華僑は長崎開港以来、江戸時代の日本へも進出して、崇福寺を建立している(崇福寺が閩北系、福済寺が閩南系、興福寺が江南系)。長崎ちゃんぽんの考案者である陳平順は、日本人になじみの深い福州人でもある。

　北方(北京官話)・呉(上海語)・湘(湖南語)・贛(江西)・客家(客家語)・閩(福建語)・粤(広東語)の中国七大方言のうち、閩方言を「福州語(閩東語)」と厦門などの「閩南語」のふたつにわけて八大方言ともいう。福州語は閩江下流域の閩東で話される方言で、「我(ウォ)」を「儂(ヌン)」と言うなど独立性が強かった。唐代の福州語は明確に中原とは異なる言葉だったとされ、かつては歩いて1日の行程を越えると理解できなくなるとも言われた。中国人の話す言葉が出身地によって大きく異るということは江戸時代の長崎でも知られていたようで、福州人の言葉を「福州口」、泉州や厦門、漳州など閩南の言葉を「漳州口」と呼んだ。こうした事情は、歴史的に北方異民族の侵入で、漢族が段階的に南遷したことにも由来し、福建語や広東語には古い時代の中国語が残る(唐代に伝わった漢語が使われている日本と共通の語彙もある)。福州の言葉では日本を「ニッポン」と発音する(北京語では「リーベン」)ほか、日本独自のものと考えられている「下駄をはく」という習慣も福州で見られたという。

福州と仏教、信仰

　福州の「福」は「仏」に通じると言われ、福州は「仏国」と呼ばれるほど、仏教に親しみある街だとされてきた。西晋の282年に建立された乾元寺が、福州仏教寺院のはじまりで、とくに唐代、華やかな仏教文化が咲き誇った（現在も残る開元寺は唐玄宗の命で、738年に全国に建てられた官寺につらなる）。華北の仏教寺院が破仏を何度も受けたのに対して、華南の仏教寺院は比較的よく保存され、開元寺のほか、華林寺、定光寺（白塔寺）が残る。かつては福州旧城をとり囲むように、東西南北に禅寺を配した曼荼羅構造をもっていて、現在では西禅寺がその威容を見せている。また道教では、福州の街づくりを行なった王審知（862〜925年）が神さまとして信仰されているほか、航海にまつわる天后（媽祖）や陳靖姑の人気が高いことを特徴とする。旧城内にそびえる三山には仙人の伝承も残り、道教寺院が仏教寺院とならんで立っている。

屏山城市案内

旧城北部の屏山あたりは福州発祥の地
また現在の福州の繁栄につながる
街づくりを進めた王審知の祠も見られる

閩王祠／闽王祠★★☆
mǐn wáng cí
びんおうし／ミンワンツウ

　閩王祠は閩国の事実上の建国者で、現在まで続く福建省繁栄の礎を築いた王審知(862〜925年)の邸宅があった場所。河南省出身の豪族であった王審知は唐末の混乱のなかで、898年、福州の節度使となり、唐滅亡後、909年に閩王(福建省地方政権の王)となった。王審知はそれまで山におおわれ、未開の地とされた福建を開墾し、教育を整備、貿易を促進した。こうした街づくりや国づくりもあって、続く宋(960〜1279年)代には福建は多くの科挙合格者を輩出する地へと発展をとげた。閩王祠は、946年、王審知の功績をたたえて、その故居を祠としたのがはじまりで、いくども改築されて現在の姿となった。規模はそれほど大きくないものの、紅壁に周囲をおおわれ、中央には王審知の像が安置されている。

閩王徳政碑／闽王德政碑★☆☆
mǐn wàng dé zhèng bēi
びんおうとくせいひ／ミンワンダアチェンベイ

　閩王祠内に立つ王審知にまつわる記録が刻まれた徳政碑。906年の在位中に立てられたもので、王審知は39年の治世で当時、未開地であった福建の政治を整え、文化水準を

高めた。王審知の家系や当時の状況が記された石碑は高さ
5m、幅1.9mになり、天下四大名碑のひとつにあげられる。

福州開元寺／福州开元寺 ★★☆
fú zhōu kāi yuán sì
ふくしゅうかいげんじ／フウチョウカァイユゥエンスウ

　　この街に現存する最古の仏教寺院で、福州随一の名刹の
福州開元寺。仏教を篤く保護した南朝梁武帝時代の549年に
創建され、当時は霊山寺と呼ばれていたという。唐(618〜907
年)の玄宗が全国に官寺を建立するにあたって、738年、この
寺が開元寺となり、会昌の廃仏のなかでも唯一破壊をまぬ
がれることになった。金色の山門からなかに入ると、中庭が
広がり、その奥に伽藍が続く。なかでも、金泥で装飾された
高さ5.3mの坐像、鉄仏(開元寺鉄仏)が安置され、閩国王審知が
3万金の銅をもちいてつくったとも、宋代の1083年に鋳造さ
れたともいう。また「空海入唐之地の碑」も見られる。

福州の出版

　　宋(960〜1279年)代の福建省では、出版文化が華やぎ、出版
業者の姿も福州に多く見られた。この出版業は仏教経典の
印刷と強い関係があり、仏教が盛んだった福州で制作され
た宋代開元寺大蔵経が知られる(寄付をつのって制作された
この『大蔵経』は1112年に刊行が開始され、1151年に完成した)。また清(1616

★★☆
閩王祠／闽王祠 ミィンワァンツゥ
福州開元寺／福州开元寺 フウチョウカァイユゥエンスウ
東街口／东街口 ドォンジエコウ

★☆☆
福州中山紀念堂／福州中山纪念堂 フウチョウチョンシャンジイニィエンタァン
華林寺／华林寺 フゥアリィンスウ
屏山／屏山 ピィンシャン
福州鎮海楼／福州镇海楼 フウチョウチェンハイロウ
東街／东街 ドォンジエ

屏山

N

鎮海楼

屏山

華林寺

華林路

樹兜

五四路

屏山

中山
紀念堂

欧冶池

鼓屏路

城隍廟

林則徐
出生地

湖東路

開元寺

閩王祠

鼓楼
遺址

八一七北路

西湖

東街口

東街

楊橋東路

三坊七巷

0km

1km

〜1912年)代の林春祺が「福田書海」と呼ばれる40万個の銅活字を、1825年から20年かけて鋳造したということも、福州出版文化の業績となっている。文字(漢字)の多い中国では、ひと文字ずつ独立した活字印刷はそれほど発展せず、伝統的に木に彫刻をほどこす木版印刷が主流で、長らく職人が彫刻刀で木に文字を刻んでいく方法がとられた。彫刻刀で漢字の縦部分を太く、横部分を細く彫った明代の書体を明朝体と呼ぶ。

鼓楼遺址／鼓楼遗址 ★☆☆
gǔ lóu yí zhǐ
ころういし／グウロウイイチイ

　福州旧城の中央北部に位置する鼓楼遺址。かつてあった鼓楼には太鼓がおかれ、福州旧城にときをつげる時計の役割を果たしていた。現在は鼓楼前公園として整備されている。

★★★
三坊七巷／三坊七巷 サンファンチイシィアン

★★☆
閩王祠／闽王祠 ミィンワァンツウ
福州開元寺／福州开元寺 フウチョウカァイユゥエンスウ
東街口／东街口 ドォンジエコウ

★☆☆
鼓楼遺址／鼓楼遗址 グウロウイイチイ
福建都城隍廟／福建都城隍庙 フウジィエンドゥウチャンフゥアンミャオ
林則徐出生地／林则徐出生地 リィンチェエスウチュウシェンデイイ
福州中山紀念堂／福州中山纪念堂 フウチョウチョンシャンジイニィエンタァン
欧冶池／欧冶池 オウィェエチイ
華林寺／华林寺 フゥアリィンスウ
屏山／屏山 ビィンシャン
福州鎮海楼／福州镇海楼 フウチョウチェンハイロウ
西湖／西湖 シイフウ
東街／东街 ドォンジエ

福建都城隍廟／福建都城隍庙 ★☆☆

fú jiàn dū chéng huáng miào

ふっけんとじょうこうびょう／フウジィエンドゥチャンフゥアンミャオ

　福州旧城の中心部に立つ福建都城隍廟。福建省でもっとも古い城隍廟で、城隍廟神と城隍夫人という都市の守り神がまつられている。赤を基調とした極彩色の概観をもつ。

林則徐出生地／林则徐出生地 ★☆☆

lín zé xú chū shēng dì

りんそくじょしゅっせいち／リィンチェスウチュウシェンディイ

　中山路から路地に入ったところにひっそりと残る林則徐出生地。清朝官僚の林則徐(1785〜1850年)は、イギリスのアヘン密輸を厳しくとり締まった民族的英雄とされる。林則徐が幼年時代を過ごしたこの地はかつて左営司巷と呼ばれ、中庭をもつ建物のなかには林則徐像が立つ。

福州時代の林則徐

　林則徐の一族は、西晋(265〜316年)のころ、華北から福建に南遷してきた「九牧の林氏」を祖先とする。ここ侯官県左営司巷にあった林家は貧しい知識人階級に属し、両親ともに教育熱心だったという。林則徐が生まれる直前、福建巡撫の徐嗣曾の一行がそばを通り、林家の軒先で雨宿りしていると、赤ん坊が生まれ、その泣き声で雷雨もやんだ。そして徐巡撫のようになってほしいと願いをこめて「則徐(徐に則る)」と命名された。少年時代の林則徐は書院に通う途中、前夜のうちに母の仕あげた刺繍をもって衣料店に寄り、帰りしなに売れた刺繍の代金を店で受けとったという。1804年、林則徐は福州での郷試に受かって挙人となり、やがて皇帝から特定問題(アヘン密輸)の全権をまかされる欽差大臣をつとめた。

閩王祠の中庭に安置された閩王徳政碑

福州開元寺という寺名は唐の玄宗に由来する

清代あたりは左営司巷と呼ばれていた、林則徐出生地にて

堂々とした容貌の林則徐

辛亥革命を成し遂げた孫文ゆかりの福州中山紀念堂

2000年以上前の福州黎明期から知られた欧冶池

華林寺、福州北部は福州発祥の地でもあった

高層ビルが林立する、福州は経済中心地でもある

福州中山紀念堂／福州中山纪念堂 ★☆☆
fú zhōu zhōng shān jì niàn táng

ふくしゅうちゅうざんきねんどう／フウチョウチョンシャンジイニィエンタァン

　20世紀初頭に建てられた2階建ての西欧建築の福州中山紀念堂。このあたりは明清時代に科挙の試験場(貢院)があった場所で、1911年の辛亥革命以後、中華民国の政務がとられる場所となった。紀念堂の前には孫文像が立つ。

欧冶池／欧冶池 ★☆☆
ōu yě chí

おうやち／オウイェチイ

　福州旧城の一角にひっそりと残り、福州最古の景勝地とも言われる欧冶池。紀元前の春秋時代に欧冶が剣の腕をみがいたところと言われ、「剣池」とも呼ぶ。福州にゆかりのある沖縄の久米村に、この福州欧冶池を模した欧冶池がある。

華林寺／华林寺 ★☆☆
huá lín sì

かりんじ／フゥアリィンスウ

　華林寺は福州旧城三山のひとつ屏山の南麓に位置する仏教寺院。王氏の閩国(909〜945年)に代わって福州を統治した呉越国(907〜978年)福州知事の鮑脩譲によって、964年、国の平和を願って建てられた。もともと越山吉祥禅院と言ったが、明(1368〜1644年)代に華林寺と呼ばれるようになった。この華林寺大殿は南中国で最古の木造建築で、明清時代に改修されているものの、斗拱や梁など、創建当時の様式(抬梁庁堂式)をとどめている。

屏山／屏山 ★☆☆
píng shān

びょうさん／ピィンシャン

　福州旧城の北側にそびえる高さ45mの屏山。烏山と于山

にならぶ福州三山のひとつで、「越王山」とも言う。また屏山南麓は紀元前202年に閩越王無諸が、最初の福州の街「冶城」を築いたことでも知られる(当時、漢族とは異なる越人がこの地に暮らし、城隍廟近くに冶城があった)。

福州鎮海楼／福州镇海楼 ★☆☆
fú zhōu zhèn hǎi lóu
ふくしゅうちんかいろう／フウチョウチェンハイロウ

高さ45mの屏山にそびえる楼閣の福州鎮海楼。福州旧城の整備された明代の1371年、官吏王恭によって建てられた。現在の楼閣は清末の1893年はじめ、いくどか再建されたもの。高さ30mを超す二層の堂々としたたたずまいを見せる。

東岳廟／东岳庙 ★☆☆
dōng yuè miào
とうがくびょう／ドォンユエミャオ

福州旧城の東外側に位置する道教寺院の東岳廟。東岳廟は山東省泰山の国家祭祀で、宋代(960～1279年)ごろからその信仰が全国に広がった(東岳廟は街の東側に建てられる)。福州の東岳廟はこうしたなかで創建され、1000年ほど続いている。冥界の支配者としてさまざまな神を統括し、商人からも信仰された。

阿拉伯文墓碑

元 (公元960~1270年)
泉州海交馆藏

Tombstone with Arabic inscription. Tombstone
Song Dynasty (960-1279)
Quanzhou.

西湖城市案内

**福州旧城の北西に広がる大きな西湖
かつてこの西湖にあわせるように城壁が走り
今では多くの人が訪れる景勝地となっている**

西湖／西湖★☆☆
xī hú
せいこ／シイフウ

　福州旧城の北西外、臥龍山の麓に広がる周囲4kmの西湖。晋の282年、晋安郡主の厳高が福州の街を築いたとき、田畑を灌漑するために、湿地帯に人造湖を掘ったことをはじまりとする。この西湖は水路で閩江と通じ、かつては西湖と東湖というふたつの湖があったが、西湖のみが現存する。五代十国の閩国(909~945年)時代、湖畔に水晶宮が建てられるなど整備が進んだ。1914年に公園として開園し、「飛虹橋」「歩雲橋」「玉帯橋」といった橋がかかるほか、明代建てられた「開化寺」、林則徐の遺言通り、死後翌年に遺像が安置された「桂斎」(林則徐は西湖の水利改修も行なった)、西湖湖畔に立つ大夢山の麓に広がる「福州動物園」、海のシルクロードにまつわる展示が見られる「福建省博物館」が位置する。

福建省博物館／福建省博物館★★☆
fú jiàn shěng bó wù guǎn
ふっけんしょうはくぶつかん／フウジィエンシェンボオウウグゥアン

　福建省博物館は、この省の歴史、民俗、自然、茶芸といった幅広い展示内容で知られる総合博物館。漢族とは異なる閩越人の暮らした時代の「福建古代文明之光」、福建地方で焼

西湖
（旧城西部）

北禅寺　　　銅盤路　　　　　　屏山
　　　　　　　　　　　華林寺

地鉄1号線

屏山

西湖

象山
伊斯蘭
墓園

福建省
博物館

湖濱路

元帥廟

楊橋東路

三坊七巷

楊橋中路

白馬北路

西二環中路

林則徐
紀念館

八旗
会館

工業路

烏山

西禅寺

西
路

烏山西

地鉄1号線

西洋

N

0km　　　　　　　　　　　　　　　　　　2km

かれ、海外に運ばれた陶磁器の「福建古代外銷瓷」、南戯や閩劇の展示が見られる「福建戯曲大観」、仏像や印章、木彫の「意匠天工」、山水画や花鳥画、篆書や隷書体の「館蔵書画精品陳列」、トカゲやカエルの標本はじめ恐竜世界や動物万象をあつかう「自然館」など多彩な展示内容となっている。なかでも、1978年に武夷山の崖洞穴からとり出された「舟形棺桶(樟の一木の内部をくり抜いた)」が注目され、古代越族の屍と副葬品、武夷山漢城宮殿復元模型も見られる。福建省博物館自体は新中国建国後の1953年に創建され、2002年に完成した。新館は白のドームをもち、イスラム建築と中国建築を融合させた外観となっている。

陶磁器の集散地

　　土を使ってさまざまなかたちの器として焼きあげ、芸術品の域へと洗練させた中国の陶磁器。建窯や景徳鎮、龍泉窯などの内陸部から閩江を通じて福州に運ばれてきたほか、福州懐安窯、福州洪塘窯などでも陶磁器が焼かれた。五代十国時代から宋代(960〜1279年)にかけては、こうした中国の陶磁器がインド、ペルシャへ運ばれ、福州沿岸部の沈没船からは当時の陶磁器も確認されている(またこの地方の五代十国時代の墓からはペルシャの青釉の壷が見つかっている)。日本の博多では、

★★★
三坊七巷／三坊七巷 サンファンチイシィアン

★★☆
福建省博物館／福建省博物館 フウジィエンシェンボオウウグゥアン
西禅寺／西禅寺 シイシャンスウ
林則徐紀念館／林則徐纪念馆 リィンチェエスウジイニィエングゥアン
烏山(烏石山)／乌山 ウウシャン

★☆☆
西湖／西湖 シイフウ
北禅寺／北禅寺 ベイチャンスウ
象山伊斯蘭墓園／象山伊斯兰墓园 シィアンシャンイイスウラァンムウユゥエン
元帥廟／元帅庙 ユゥエンシュアイミャオ
八旗会館／八旗会馆 バアチイフウイグゥアン

福建省博物館の展示、海のシルクロードで活躍したジャンク船の模型が見える

豊かな水をたたえる福州西湖

中国の陶磁器は世界中に輸出されていった

多彩な展示で知られる福建省博物館の外観

唐末期から五代十国時代に福州懐安窯製の青磁が発掘されているほか、鎌倉時代、福建奥から閩江を通じて福州に集まった曜変天目茶碗などの茶道具が、寧波を通じて日本へ渡ったと考えられる。天目茶碗の多くは福建の建窯で焼かれたが、浙江省天目山の名前がつけられた。

北禅寺／北禅寺★☆☆
běi chán sì
ほくぜんじ／ベイチャンスウ

北禅寺は福州旧城を曼荼羅のようにとり囲んだ4つの禅寺のうちのひとつ。唐代の創建で西湖の北側に位置し、黄色の壁面でおおわれた伽藍が展開する。

象山伊斯蘭墓園／象山伊斯兰墓园★☆☆
xiàng shān yī sī lán mù yuán
ぞうさんいすらむぼえん／シィアンシャンイイスウラァンムウユゥエン

福州旧城西門外に残るこぢんまりとした象山伊斯蘭墓園。唐宋時代から福州にはイスラム商人が多く訪れ、続くモンゴルの元代、イスラム教徒は行政官として重用された。石墓のほか、元代のペルシャ語の石刻が残っている。

西禅寺／西禅寺★★☆
xī chán sì
せいぜんじ／シイシャンスウ

福州旧城中心部から西3kmのところに立つ仏教寺院の西禅寺。南朝梁(502〜557年)の時代、道士王覇の住居があった場所で、不老不死の薬を調合し、仙人になるための修行をしていたと伝えられる。唐代の796年、ここに王覇がまつられたが衰退し、その後、867年に仏教の大安禅師が招かれ、のちに西禅寺と呼ばれるようになった。仏教の盛んな福州にあって、東禅寺、南禅寺、北禅寺とともに、福州旧城の東西南北を曼荼羅のように囲み、最盛期の西禅寺は3000人の僧侶を抱

えるほどだったという。清朝末期に、海外の華僑からの寄付で再建され、その後、1941年の日本の空爆、文革中に破壊され、工場になったこともあった。現在の伽藍は、やはり東南アジアの福州華僑の援助で整備され、荔枝の老木が茂る広大な敷地に伽藍が展開する。高さ67m、八角十五層の「報恩塔」がそびえ、黄色の屋根瓦でふかれた「天王殿」「大雄宝殿」「羅漢閣」「法堂」が位置する。

閩越から福建省省都へ

「門」に「虫」と書く福建省の古名「閩」
中原から見て異民族の暮らす僻地だった
福建の開発は唐宋時代から進んでいった

閩越から福建へ

　百越と呼ばれる異民族の暮らす福建に、漢族が入植する
ようになったのは、晋(265~420年)代以降のことだと考えら
れている。当時、住民の大多数をしめる非漢族の閩越人は山
で焼き畑をしたり、漁労生活を送っていた。西晋が滅んで南
京に東晋(317~420年)が樹立されると、福建沿岸部に晋安郡
が、北西に建安郡がおかれて、漢族が南遷して移住するよう
になった(このとき福建に入った林、陳、黄、鄭、詹、邱、何、胡氏は、閩八姓
と呼ばれている)。山がちで、山ひとつ越えれば言葉が変わると
言われる福建では、他のどの地域よりも漢族の進出が遅れ、
唐代になっても住民のほとんどは非漢族であった。こうし
たなかで浙江南部から、福建東部の海岸地帯へいたる海路
が通じ、その起点となる福州と、福建内陸部の建州が漢族の
進出拠点となり、「福州」と「建州」の頭文字から「福建」の名
前がとられた。

王審知と閩国

　唐(618~907年)後期から節度使が各地に軍事力をもち、そ
のまま各地で地方政権がならぶ五代十国時代(907~960年)へ
と突入した。唐末の混乱のなか河南省の王潮、王審知兄弟が

福州で演じられる閩劇の衣装

夜ライトアップされた毛沢東像

福建に入り、この地の自営団首領からなりあがって閩国(909
〜945年)を建設した。閩国は中原の荒くれ者が建てた征服王
朝とも見えるが、実権をにぎった王審知は唐代以来の官僚
を起用し、国づくりを進めたため、後進地であった福建が発
展した。王審知死後、閩国は後継者争いで血みどろの混乱を
まねき、やがて北の呉越(杭州)に福州を奪われ、945年、西の
南唐(南京)の攻撃を受けて滅亡した。

南方の文化大国へ

　唐から五代十国への変遷は、統一された中国が各地方
ごとに分裂し、それぞれ独自の風俗、習慣、言語が発展して
いった。閩が福州、呉越が杭州、南唐が南京を都としたよう
に、それぞれの都市と地域(国境)は現在の省都と省域にも対
応している。こうしたなかで、五代の将軍であった趙匡胤
は、次々と各国をおさえて宋(960〜1279年)を建国した(閩は呉
越と南唐からの侵入を受けて滅亡した。そのさなかで泉州で将軍留従効が
独立し、それに替わった陳洪進による小国家も978年、宋に統合された)。
唐末から閩国、宋代へいたる100年のあいだで、福建の開発
は急速に進み、皇帝に献じられる「福建茶」、科挙合格者を多
く輩出する「文教」、仏教の経典を次世代へ伝える「出版文
化」などで、福建は中国全土に知られるようになった。こう
した傾向は、南宋(1127〜1279年)の都が杭州におかれてから
さらに増し、南中国の文化が北中国の文化を上まわったと
言われる。

『福州孜』(野上英一/臺灣總督府熱帯産業調査會)

『三坊七巷・朱紫坊（福州,福建省）の住居類型とその集合形式に関する考察』(趙冲・布野修司・張鷹・山田香波/日本建築学会計画系論文集)

『福州上下杭社区(福建省)の空間構成に関する考察 その1：社区構成と施設分布』(大日方覚・山田香波・趙冲・布野修司/学術講演梗概集)

『中国福建省福州市の道教信仰』(川添裕希/西郊民俗)

『福州戯台見学記』(川島郁夫/東京外国語大学論集)

『中国碑林紀行40福州の三山をめぐる』(何平/人民中国)

『美しい中国 福州 軽さを誇る伝承の脱胎漆器』(単濤・于文・孫立成/人民中国)

『林則徐』(井上裕正/白帝社)

『東方見聞録』(マルコ・ポーロ・愛宕松男訳/平凡社)

『世界大百科事典』(平凡社)

[PDF]福州地下鉄路線図http://machigotopub.com/pdf/fuzhoumetro.pdf

OpenStreetMap

(C)OpenStreetMap contributors

福州旧城／ガジュマル茂る「花の都」

まちごとパブリッシングの旅行ガイド

Machigoto INDIA , Machigoto ASIA , Machigoto CHINA

マカオ-まちごとチャイナ

Juo-Mujin（電子書籍のみ）

自力旅游中国Tabisuru CHINA

福州

福州旧城

0km　　　　　　　　　　3km

N

福州旧城
中心部

0km

2km

N

于山拡大

0m   300m

于山

N

0m   500m

烏山拡大

烏山

0km　　　　　　　　　　　　　1km

N

八一七路

三坊七巷

0m　　　　　　500m

東街口

0m   500m

N

福州駅と
旧城北部

N

0km   2km

屏山

N

0km   1km

西湖
（旧城西部）

N

0km   2km

【車輪はつばさ】
南インドのアイラヴァテシュワラ寺院には
建築本体に車輪がついていて
寺院に乗った神さまが
人びとの想いを運ぶと言います

An amazing stone wheel of the Airavatesvara Temple
in the town of Darasuram, near Kumbakonam in the South India

まちごとチャイナ
福建省 003

福州旧城
ガジュマル茂る「花の都」
［モノクロノートブック版］

「アジア城市（まち）案内」制作委員会
まちごとパブリッシング
http://machigotopub.com

・本書はオンデマンド印刷で作成されています。
・本書の内容に関するご意見、お問い合わせは、発行元の
　まちごとパブリッシング info@machigotopub.com までお願いします。

まちごとチャイナ
新版 福建省003福州旧城
　〜ガジュマル茂る「花の都」

2020年 8月15日　発行

著　者	「アジア城市（まち）案内」制作委員会
発行者	赤松　耕次
発行所	まちごとパブリッシング株式会社
	〒181-0013　東京都三鷹市下連雀4-4-36
	URL http://www.machigotopub.com/
発売元	株式会社デジタルパブリッシングサービス
	〒162-0812　東京都新宿区西五軒町11-13
	清水ビル3F
印刷・製本	株式会社デジタルパブリッシングサービス
	URL http://www.d-pub.co.jp/

MP251